KB076681

시니어를 위한 힐링 컬러링북

나의 살던 고향은

봄 2

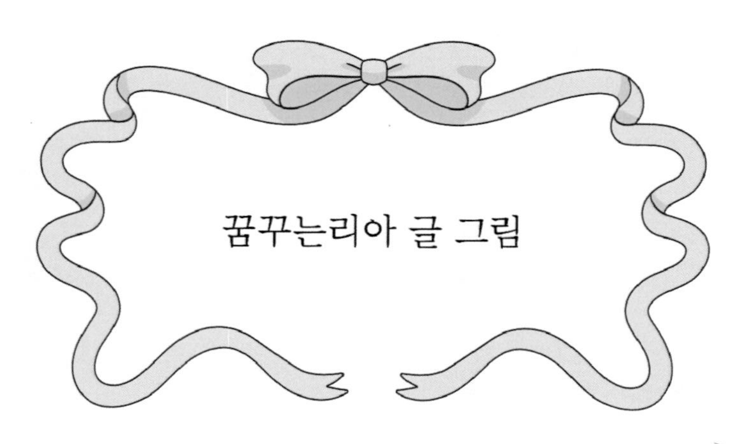

꿈꾸는리아 글 그림

나의 살던 고향으로

_______________님을 초대합니다.

우리 모두는 어린 시절의 소중한 추억을 간직하고 있습니다.
그 중에서도 고향에서의 봄날은 특별한 의미가 있죠.

따스한 햇살 아래 피어나는 꽃들, 새들의 노랫소리, 그리고 아이들의
웃음소리. 그 시절의 향기와 감촉은 우리 마음 깊이 새겨져 있습니다.

기초단계 1편에 이어 2편에서는 좀 더 구체적이고 상세한 그림으로 추억 속
고향의 봄을 느껴보실 수 있으십니다.

색연필로 꽃을 채색하며, 어린 시절 그 시절의 정겨운 풍경을
떠올려보세요. 그리고 그 시절의 순수한 기쁨과 행복을
다시 한번 느껴보시길 바랍니다.

이 컬러링북이 여러분의 마음에 따뜻한 봄바람을 불어넣어
드리길 기원하며, 그 속에서 새로운 희망과 활력을 얻으시길 바랍니다.

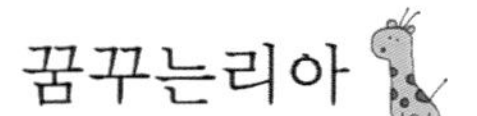

목 차

튤립

빨간색 튤립 : 사랑의 고백, 영원한 사랑

노란색 튤립 : 헛된 사랑, 짝사랑을 의미

핑크색 튤립 : 애정, 관심, 존경심을 의미합니다.

벚꽃

벚꽃은 순결의 의미와 함께 고상하고 담백한
느낌을 주어 아름다운 사람을 상징합니다.

개나리

봄을 알리는 꽃으로, 새로운 시작과 희망을 상징합니다.

노란 꽃잎은 "나의 사랑은 당신보다 깊습니다" 라는 의미를 담고 있습니다.

진달래

진달래는 새로운 사랑과 기쁨,순수하고
순정적인 사랑을 상징합니다.

라일락

1. 첫사랑의 설렘과 순정을 상징합니다.

2. 젊은 날의 순수한 추억이라는 꽃말이 있습니다.

오렌지나무

오렌지는 비타민 C가 매우 풍부한 과일로, 항산화제인
헤스페리딘 성분이 함유되어 있어서 혈행 및 혈관 건강,
피부 건강, 섬유질 보충, 암 예방, 소변 산성화 방지,
스트레스 관리 등에 아주 좋아요.

봄나들이

따뜻한 햇살을 챙겨서 봄나들이 가는 꼬꼬 가족~

제비

'제비는 작아도 강남 간다'는 속담이 있어요.
해마다 겨울이 오기 전 새끼들을 데리고 강남으로 가는데
작고 볼품없다 해도 제 할 일은 한다'는 뜻이에요.

까치

우리나라 민속에서 길조로 여겨져 왔으며,
행운과 복을 상징하는 새로 사랑을 받아왔어요.

백로

백로는 온몸이 순백색이어서 예로부터 청렴하고 고결한
선비의 상징으로 여겨져 왔어요.
시문이나 회화 작품에서는 선비의 고고한 기상을
표현하는 소재로 자주 등장했어요.

초원위의 소

복잡한 욕망과 갈등속에 사는 인간들과 달리 소들은 자연 속에서
평화롭게 풀을 뜯으며 자연의 순환 속에서 살아갑니다.
우리는 소들에게서 단순한 삶을 배웁니다.

선하신 목자

양들은 선한 목자를 믿고 의지하며, 목자는 양들을
보호하고 인도합니다. 이는 하나님과 우리 사이의
관계를 상징적으로 보여줍니다.

장난스런 강아지들

강아지와 함께 보내는 시간은 우리들에게 많은 행복과 기쁨을 선사합니다.
이 친구들과의 특별한 순간들을 오래오래 간직해보세요.

졸고있는 고양이

봄날의 따듯한 햇살 아래에서 고양이와 함께 편안히 졸고 있는 모습은
정말 평화롭고 여유로운 풍경이에요

입학식

봄의 온기가 가득한 날,
기대와 설레임속에 아이들은 새로운 시작에 대한
기쁨과 희망에 가득 차 있어요.

봄비

기나 긴 겨울의 등을 떠밀며 다가온 봄비, 그 울림은 반갑지만
봄비 속에 묻힌 벚꽃은 아쉬움을 남기네요.

꽃들의 정원

🌸 봄이 오면 정원에 꽃들이 한가득 피어납니다.
💐 꽃들의 향기가 바람에 실려 오며, 꽃잎들은 부드럽게 춤을 춥니다.
🌷아름다운 봄의 기쁨을 만끽해 보세요.

수확

🌱 봄이 되면 대지가 깨어나고 새싹들이 힘차게 돋아납니다.
🍆수확의 계절이 다가오면, 농부들의 얼굴에는 환한 미소가 피어납니다.

운동

운동은 우리 몸과 마음을 깨우는 활력소입니다.
땀 흘리며 움직이는 순간, 생명력이 넘치는 자신을 발견하게 됩니다.

드라이브

🌳 창밖으로 펼쳐지는 아름다운 풍경을 바라보며
사랑하는 사람과 함께 행복한 추억을 만들어보세요~

프로포즈

"우리의 사랑이 영원히 지속되기를 바랍니다.
당신과 함께라면 어떤 어려움도 극복할 수 있을 것입니다.
나의 영원한 반려자가 되어 주시겠습니까?"

결혼

"당신과의 결혼은 내 삶에 빛을 주는 축복입니다.
당신이 내 곁에 있어주어 감사합니다."

행복

"당신의 따뜻한 손길이 닿을때마다 내 가슴은 설레이고,
이 작은 생명체를 보며 참 행복합니다."

모정

아기를 사랑스럽게 안아주는 엄마의 모습은 마치 봄날의 꽃이 피어나는 것 같아요. 엄마의 따뜻한 품에 안겨 있는 아기의 모습보다 더 행복한 순간이 세상에 있을까요?

나의 살던 고향은 _ 봄2

발 행 | 2024년 5월 23일
저 자 | 꿈꾸는리아
펴낸이 | 한건희
펴낸곳 | 주식회사 부크크
출판사등록 | 2014.07.15.(제2014-16호)
주 소 | 서울특별시 금천구 가산디지털1로 119
SK트윈타워 A동 305호
전 화 | 1670-8316
이메일 | INFO@BOOKK.CO.KR
ISBN | 979-11-410-8625-1
WWW.BOOKK.CO.KR